KU-101-390

Nota editorului

Din această carte aflăm câteva dintre poveștile uimitoare pe care le-au imaginat diferite popoare ca să înțeleagă lumea din jurul lor și să-și răspundă la marile întrebări despre Univers.

Uneori, culturi diferite pot avea mituri foarte asemănătoare, iar poveștile există în numeroase versiuni și relatări diferite. Unele povești ți se pot părea familiare, altele mai puțin. Multe au jucat un rol în formarea viziunii oamenilor asupra lumii. Unele sunt credințe sacre care sunt respectate și prețuite chiar și în zilele noastre.

Mituri și știință urmărește câteva fire din bogata și colorata tapiserie a mitologiilor și credințelor complexe din toată lumea. Autorilor acestei cărți le-a fost greu să decidă ce să includă și ce să lase deoparte. Dar sperăm că este doar începutul călătoriei tale și că această carte te va inspira să afli mai mult.

Pentru Justin. RLO

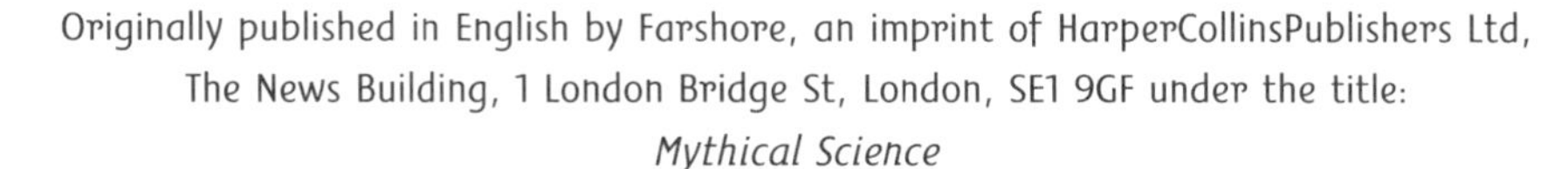
Originally published in English by Farshore, an imprint of HarperCollinsPublishers Ltd,
The News Building, 1 London Bridge St, London, SE1 9GF under the title:
Mythical Science
Text Copyright © Rebecca Lewis-Oakes 2022
Illustrations Copyright © Max Rambaldi 2022
Translation © 2023 by Editura Univers
Translated under licence from HarperCollins Publishers Ltd
The author asserts the moral right to be acknowledged as the author of this work.

© Editura Univers, 2023
Toate drepturile asupra traducerii în limba română aparțin Editurii Univers.

Descrierea CIP este disponibilă la Biblioteca Națională a României.

Colecția UNICORN UNIVERS
Colecție coordonată de Ioana Chicet-Macoveiciuc
Redactare Diana Crupenschi
Tehnoredactare Constantin Niță
Corectură Andreea Popescu

ISBN: 978-973-34-1472-8

Tipărită în România de Tipografia REAL

MITURI ȘI ȘTIINȚĂ

Descoperă știința din spatele celor mai minunate povești ale lumii

Rebecca Lewis-Oakes

Ilustrații de Max Rambaldi

Traducere de
Oana-Celia Gheorghiu

Editura Univers

Pământul nostru

Te-ai uitat vreodată spre cer sau la lumea din jurul tău și te-ai întrebat cum au ajuns toate acolo? Felicitări, ești o ființă omenească! De la începuturile timpului, oamenii și-au pus mereu întrebări IMPORTANTE despre planeta noastră. Astăzi, știința ne ajută să găsim răspunsurile. Dar înainte de a putea măsura cât de mare este Pământul (40.075 km la mijloc, dacă tot te-ai întrebat) sau de a identifica atomi mici-mititei, prea mici ca să poată fi văzuți cu ochiul liber, cum își explicau oamenii lumea și cum răspundeau la aceste întrebări importante?

Cum stă cerul acolo sus?

Oamenii din Antichitate nu aveau telescoape. Microscopul nu fusese inventat. Nu știau cât de departe este Luna, nici ce anume producea tunetul și fulgerul. Așa că își explicau lumea prin povești magice numite mituri. Aceste povești se transmiteau din generație în generație, iar unii oameni încă le au și în zilele noastre ca bază a credințelor lor.

De unde vin curcubeiele?

Uneori, culturi diferite pot avea mituri foarte asemănătoare. Adesea, există câteva versiuni ale aceleiași povești. Grecii antici credeau că planeta Pământ este o zeiță-mamă, Geea, pentru că ne dă viață. (Iar oamenii încă vorbesc și în zilele noastre despre Mama Natură.) Dar grecii antici au început încă de pe atunci să folosească și puterea științei pentru a-și explica și înțelege lumea. Oamenii au văzut că existau explicații științifice ale unor lucruri care se petreceau în jurul lor.

Acum poți căuta informații ca să afli ce au descoperit oamenii de știință despre planeta noastră. Uneori, îți poți crea propriile experimente pentru a găsi răspunsuri extraordinare. Dar miturile încă sunt povești uluitoare – și te poți bucura de ele în timp ce înțelegi și știința! Așa că dă pagina și cufundă-te în poveștile magice și în știința senzațională despre planeta noastră incredibilă.

Ce formă are Pământul?

Bine ai venit pe planeta Pământ! Știai că multe popoare antice credeau că Pământul e plat? Ei bine, este de înțeles că, dacă oamenii nu puteau zbura deasupra Pământului într-un avion sau într-o navetă spațială, puteau să nu știe dacă mai era ceva dincolo de linia orizontului. Tot felul de mituri s-au născut în jurul formei lumii și a universului nostru.

În miturile Egiptului antic se spunea că mările trec peste marginea lumii. Ele se vărsau în lumea de dincolo.

Acest mit fantastic susținea că lumea este un copac imens. Da, poveștile slave spuneau că zeii locuiau pe crengile de sus, iar oamenii, pe cele de jos.

Universul aztec era alcătuit din patru sferturi ale lumii noastre omenești, nouă lumi de dincolo și TREISPREZECE straturi de lumi cerești.

Un mit indian antic susținea că lumea se sprijină pe elefanți uriași care stau, la rândul lor, pe spinarea unei broaște țestoase imense.

Știința senzațională

Acum știm că Pământul nu este nici o țestoasă uriașă, nici un copac imens și nici măcar nu este plat, cu margini de pe care poți să cazi. Nu există margini! Știm că Pământul este (aproape) o sferă – l-am văzut din spațiu ca să putem dovedi! Oamenii de știință au arătat că Terra este a treia dintre cele opt planete din sistemul nostru solar – niște corpuri cerești IMENSE care orbitează (se învârtesc) în jurul Soarelui, steaua cea mai apropiată de noi. Unele planete sunt alcătuite în principal din gaze, dar Terra este formată din roci și metal. Și mai special: Terra are apă în stare lichidă pe ea, iar apa este un element esențial apariției și perpetuării vieții. Uraaa!

De ce răsare Soarele?

Soarele care răsare și apune în fiecare zi este atât de important, încât multe popoare antice spuneau povești incredibile despre motivele pentru care se întâmplă acest lucru.

Zeul-Soare aztec, Huitzilopochtli, s-a născut fiind deja în război cu frații și surorile lui, stelele. Le-a fugărit și ele s-au împrăștiat pe tot cerul. Aztecii credeau că Soarele alungă stelele în fiecare dimineață.

Zeul-Soare babilonian Shamash ieșea pe Poarta Soarelui de pe muntele de la orizont în fiecare dimineață la răsărit. El colinda de-a lungul cerului toată ziua și intra în Lumea de Dincolo în fiecare seară, la apus.

Tribul Menominee și alte câteva populații ameroindiene aveau povestea Iepurelui și a Bufniței, care se certau cu privire la câtă lumină trebuie să fie pe lume. Cine a învins? A fost remiză. Au căzut de acord ca Soarele să strălucească puternic în timpul zilei pentru Iepure, iar Luna să strălucească mai puțin în timpul nopții, ca să fie mai întuneric pentru Bufniță.

Știința senzațională

Hm, de fapt soarele nici nu apune, nici nu răsare. Pământul face o rotație completă o dată pe zi. Nouă ni se pare că Soarele răsare la est, se plimbă pe cer și apoi apune la vest. Dar, de fapt, Soarele stă pe loc și NOI ne învârtim în jurul lui, cu fața spre Soare în timpul zilei și îndepărtându-ne de el când se lasă noaptea. Dar nu simțim mișcarea, pentru că ne mișcăm odată cu Pământul.

Amintește-ți cum e când te dai în carusel – eeei! Lucrurile de la locul de joacă par a trece în viteză pe lângă tine. Dar tu știi că, de fapt, ele stau pe loc și le vezi la fiecare rotire a caruselului. Răsăritul și apusul Soarelui înseamnă cam același lucru!

De ce este Luna sus pe cer?

Când apune Soarele, răsare Luna. Oamenii din Antichitate priveau și se întrebau de ce se întâmplă acest lucru și se mai întrebau și cum o fi ajuns Luna sus pe cer, în primul rând. Câteva mituri povestesc cum Soarele și Luna se fugăresc pe tot cerul, în timp ce altele vorbesc despre ouă uriașe sau stele cu care se hrănește Luna.

Un mit din Malawi spune că Luceafărul dimineții o înfometa pe Lună pe timpul zilei și Luceafărul de seară o hrănea pe timp de noapte. Tribul african xhosa spune o poveste despre o Lună nouă, plină, care iese din mare în fiecare lună, apoi se face din ce în ce mai mică și dispare.

Luna era o zeiță pentru grecii antici. Ea se numea Selena și mergea într-un car tras de doi cai înaripați peste cerul nopții.

Dar tradiția hindusă susține că Luna era un zeu, Chandra. Și el mergea într-un car, dar acesta era tras fie de o mulțime de cai albi, fie de antilope!

Un mit chinezesc spune că Pangu cel uriaș a ieșit dintr-un ou cosmic la începuturile timpurilor – poc! O bucată din coaja de ou a devenit Luna.

Știința senzațională

Înainte ca oamenii de știință să poată desfășura experimente pe Lună, și ei inventau povești despre cum a ajuns Luna pe cer. Ei foloseau însă un limbaj științific, în loc să vorbească despre zei și monștri, și foloseau măsurătorile și matematica, nu doar imaginația. Mai demult, oamenii de știință credeau că Luna ar putea fi un asteroid în trecere care a fost prins de gravitația Pământului, sau că Pământul se învârtea pe vremuri atât de repede, încât o bucată s-a desprins din el și a devenit Luna. Abia în 1969, când astronauții americani au pășit pe Lună, au putut face experimente pentru a determina din ce este făcută Luna și cum a ajuns acolo.

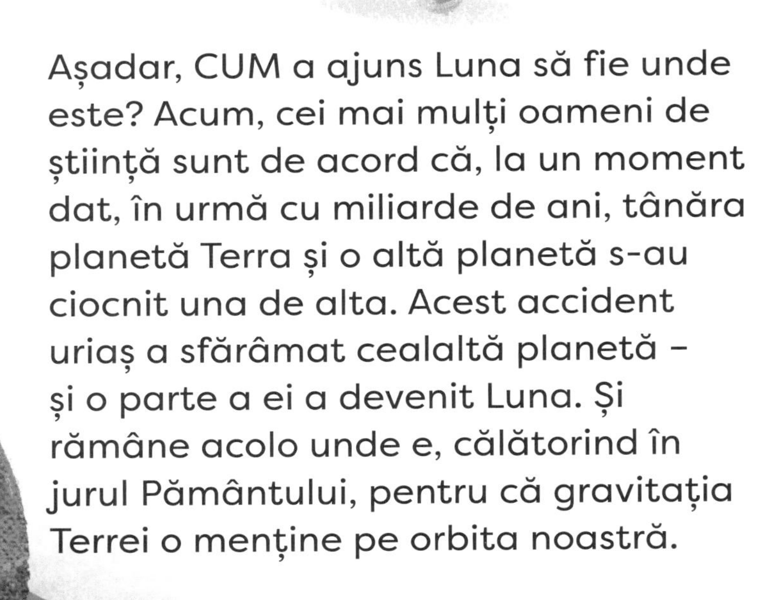

Așadar, CUM a ajuns Luna să fie unde este? Acum, cei mai mulți oameni de știință sunt de acord că, la un moment dat, în urmă cu miliarde de ani, tânăra planetă Terra și o altă planetă s-au ciocnit una de alta. Acest accident uriaș a sfărâmat cealaltă planetă – și o parte a ei a devenit Luna. Și rămâne acolo unde e, călătorind în jurul Pământului, pentru că gravitația Terrei o menține pe orbita noastră.

Cum stă cerul acolo, sus?

Privește în sus. Acum, în jos. De ce este pământ sub picioarele noastre și cer deasupra capetelor noastre? De ce nu e invers? Bună întrebare!

Oamenii din Antichitate își explicau acest lucru prin mituri despre zei sau eroi puternici, care țineau cerul sus. Aveau această slujbă pentru eternitate... probabil că erau destul de obosiți!

Probabil că zeul care ținea cerul cel mai comod era polinezianul Tane, un zeu al pădurilor. El stătea pe spate și îl împingea pe zeul cerului, Rangi, cu picioarele, alungându-l de lângă zeița Pământului, Papa.

Iată un aspect interesant: foarte puține culturi antice aveau un cuvânt pentru albastru! Nu vedeau cerul ca fiind albastru sau pur și simplu nu știau cum să-i spună acelei culori? Nu vom ști niciodată...

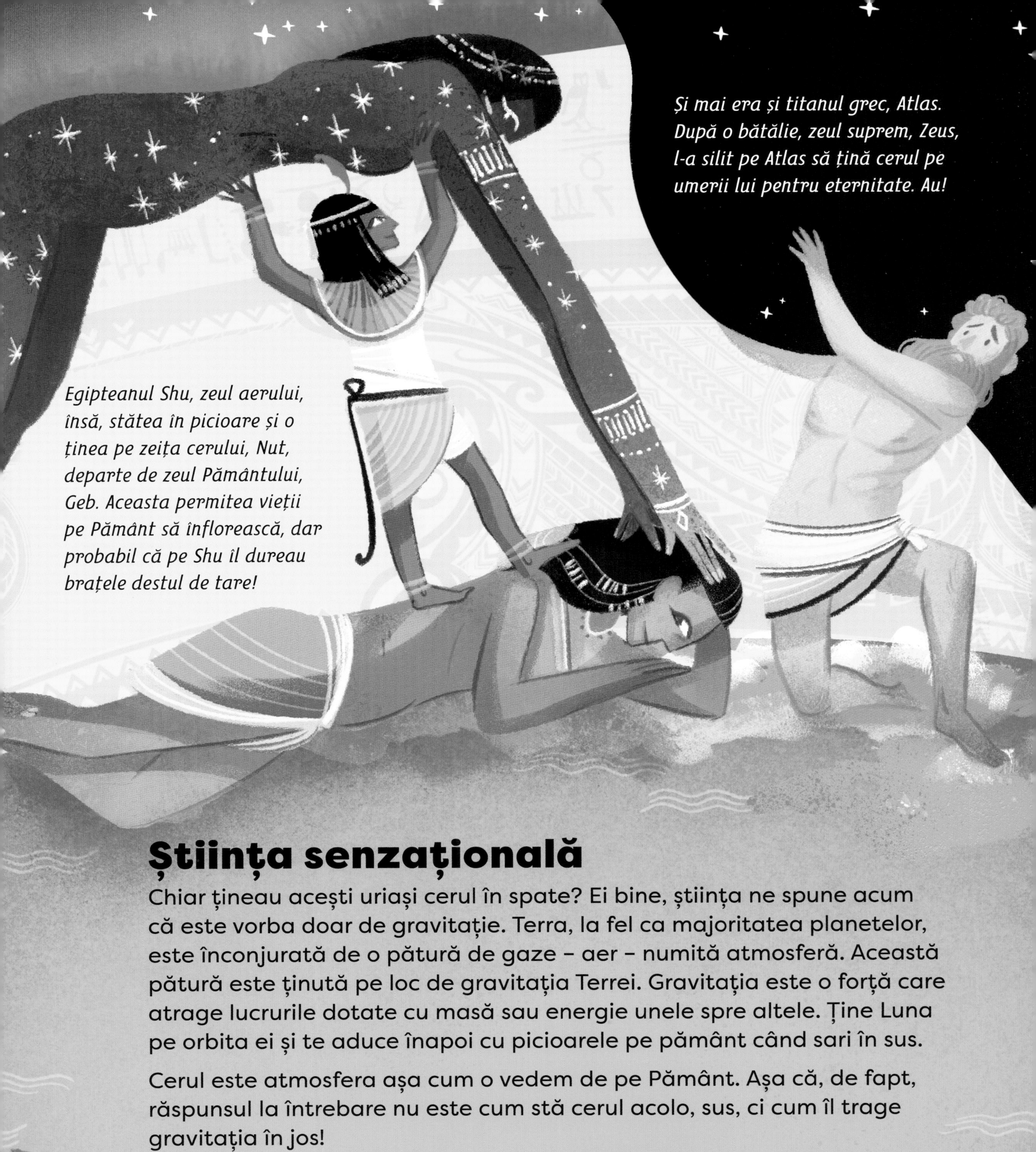

Știința senzațională

Chiar țineau acești uriași cerul în spate? Ei bine, știința ne spune acum că este vorba doar de gravitație. Terra, la fel ca majoritatea planetelor, este înconjurată de o pătură de gaze – aer – numită atmosferă. Această pătură este ținută pe loc de gravitația Terrei. Gravitația este o forță care atrage lucrurile dotate cu masă sau energie unele spre altele. Ține Luna pe orbita ei și te aduce înapoi cu picioarele pe pământ când sari în sus.

Cerul este atmosfera așa cum o vedem de pe Pământ. Așa că, de fapt, răspunsul la întrebare nu este cum stă cerul acolo, sus, ci cum îl trage gravitația în jos!

De unde vin curcubeiele?

Curcubeiele se numără printre lucrurile cele mai încântătoare pe care le poți vedea în natură. Fiecare reprezintă o curbă lucitoare pe cer, cu dungi strălucitoare de diferite culori.

Unele popoare antice credeau despre curcubeie că ar fi un pod între Pământ și Cer sau orice loc în care credeau că locuiesc zeii.

Zeul Izanagi și zeița Izanami au coborât într-o zi din ceruri pe podul lor curcubeu și au ridicat insulele Japoniei cu o suliță!

Zeul Maori al curcubeielor, Uenuku, s-a îndrăgostit de o fată creată din ceață și a fost transformat în curcubeu ca să poată trăi în cer alături de ea.

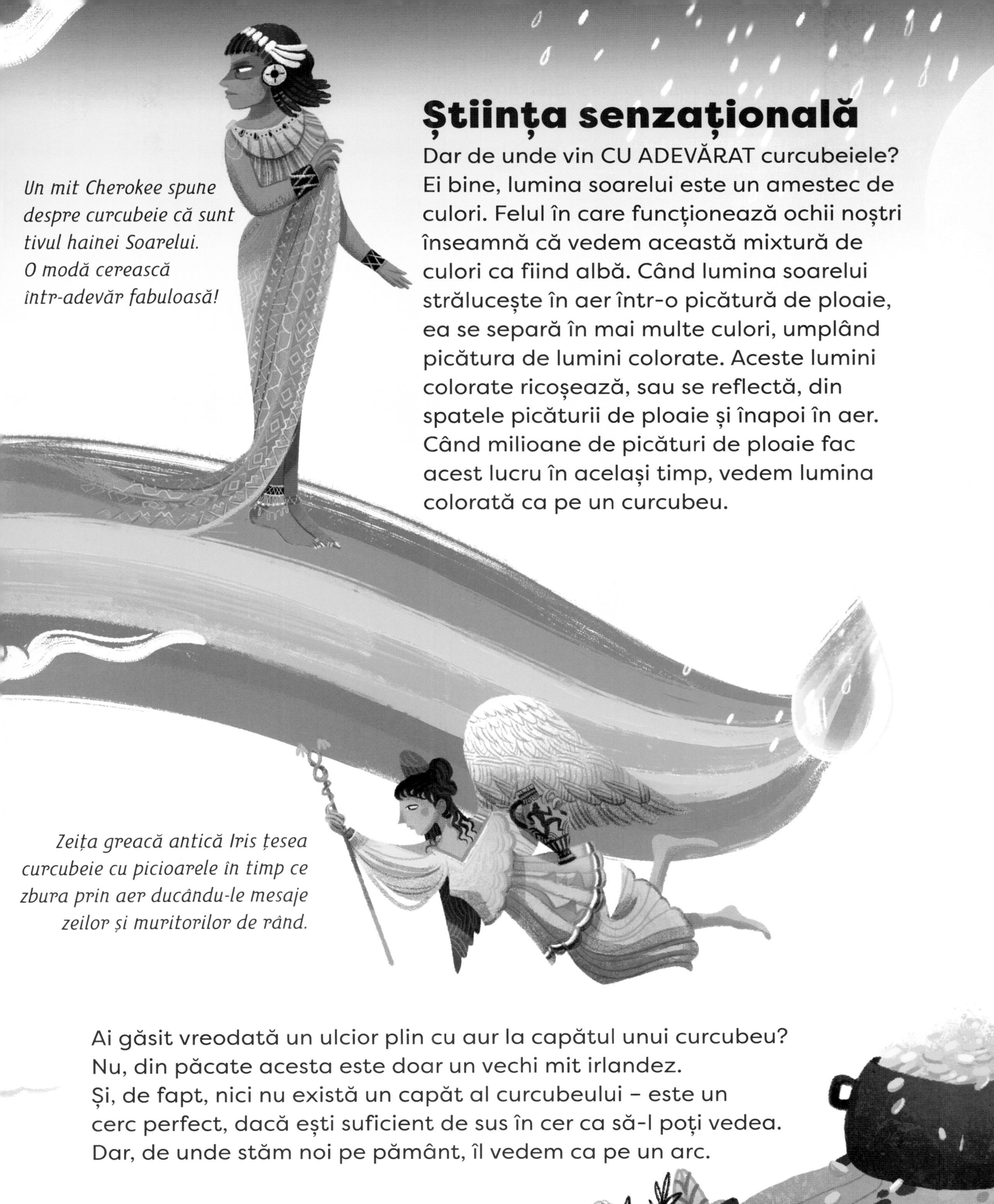

Știința senzațională

Dar de unde vin CU ADEVĂRAT curcubeiele? Ei bine, lumina soarelui este un amestec de culori. Felul în care funcționează ochii noștri înseamnă că vedem această mixtură de culori ca fiind albă. Când lumina soarelui strălucește în aer într-o picătură de ploaie, ea se separă în mai multe culori, umplând picătura de lumini colorate. Aceste lumini colorate ricoșează, sau se reflectă, din spatele picăturii de ploaie și înapoi în aer. Când milioane de picături de ploaie fac acest lucru în același timp, vedem lumina colorată ca pe un curcubeu.

Un mit Cherokee spune despre curcubeie că sunt tivul hainei Soarelui. O modă cerească într-adevăr fabuloasă!

Zeița greacă antică Iris țesea curcubeie cu picioarele în timp ce zbura prin aer ducându-le mesaje zeilor și muritorilor de rând.

Ai găsit vreodată un ulcior plin cu aur la capătul unui curcubeu? Nu, din păcate acesta este doar un vechi mit irlandez. Și, de fapt, nici nu există un capăt al curcubeului – este un cerc perfect, dacă ești suficient de sus în cer ca să-l poți vedea. Dar, de unde stăm noi pe pământ, îl vedem ca pe un arc.

Soarele dispare vreodată?

Uneori, dispare în timpul zilei! Unele popoare din Antichitate erau extrem de îngrijorate din acest motiv. Credeau că înseamnă SFÂRȘITUL LUMII! Au inventat povești minunate despre acest lucru.

Repede, fugi! În mitologia nordică, se spunea că lupii cerului, Skoll și Hati, fugăreau și mâncau Soarele și Luna.

Știința senzațională

Nu-ți face griji, Soarele nu este înghițit de-adevăratelea. Uneori Luna trece printre Pământ și Soare și blochează toată lumina Soarelui. Aceasta se numește eclipsă totală de soare. Se întâmplă de câteva ori pe an, dar numai pe o părticică foarte mică din suprafața Pământului, acolo unde cade umbra Lunii, și de fiecare dată în alt loc. În orice loc dat, pot trece secole între o eclipsă de soare și următoarea.

În prezent, oamenii de știință pot prezice ziua și ora exacte și locul exact de pe Pământ de unde se poate vedea o eclipsă, și este un eveniment de mare importanță.

Unele popoare extraordinare din Antichitate au prezis eclipse! Mayașii aveau calendare extrem de exacte în urmă cu aproximativ 2000 de ani. Știau când să se aștepte la o eclipsă – ceea ce îi scutea de o grămadă de stres.

Oac! În Vietnamul antic, oamenii își explicau eclipsele prin mitul unei broaște uriașe care înghițea Soarele. Totuși, stăpânul broaștei, Hahn, reușea mereu să o convingă să-l scuipe înapoi afară – ptiu! Probabil că Soarele era, totuși, prea fierbinte să fie mâncat.

Ce sunt stelele căzătoare?

Ți-ai pus vreodată o dorință uitându-te la o stea? La o stea căzătoare? În Antichitate, locuitorii de pe teritoriul Europei nu-și puneau dorințe la vederea stelelor căzătoare – ei credeau că sunt lacrimile unui sfânt. Destul de trist pentru ceva atât de frumos pe cerul nopții!

În Africa de Est, unele popoare antice credeau că stelele căzătoare erau zei și zeițe care umblau prin cer.

Și populația Yolngu din Australia crede că o stea căzătoare este un mesaj de la o persoană decedată, care le arată rudelor că a ajuns cu bine pe tărâmul spiritelor.

Știința senzațională

Acum știm că stelele căzătoare nu sunt cu adevărat stele. Ele pornesc ca meteoriți – fragmente de rocă desprinse din corpuri cerești care se deplasează în viteză prin spațiu. Imediat ce pătrund în atmosfera Terrei, iau foc și devin meteori. Căldura arderii produce efectul de coadă a „stelei căzătoare” de pe cer.

Ce sunt norii?

Norii sunt niște oi pufoase care dorm pe cer. Sunt vată care plutește. Nu, bineînțeles că nu! Dar oamenii din Antichitate aveau multe mituri legate de nori...

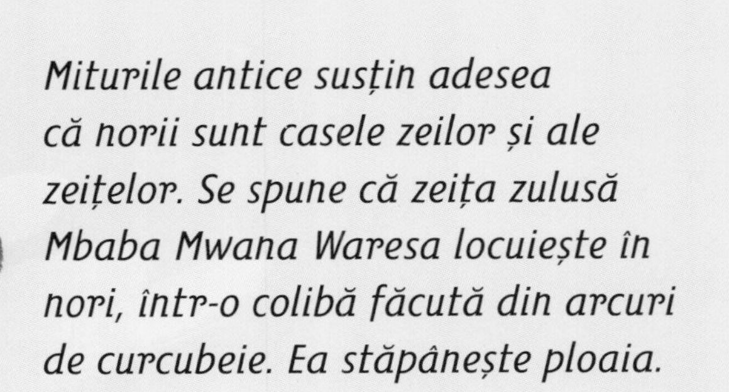

Miturile antice susțin adesea că norii sunt casele zeilor și ale zeițelor. Se spune că zeița zulusă Mbaba Mwana Waresa locuiește în nori, într-o colibă făcută din arcuri de curcubeie. Ea stăpânește ploaia.

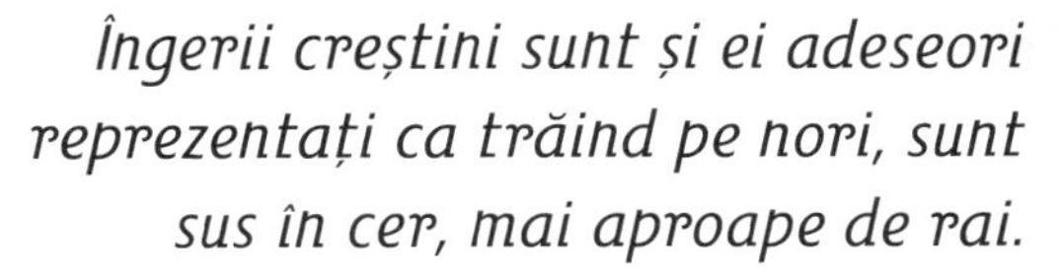

Îngerii creștini sunt și ei adeseori reprezentați ca trăind pe nori, sunt sus în cer, mai aproape de rai.

Dar ceața? Feth fiadha în mitologia irlandeză era o ceață supranaturală care făcea ființele supranaturale invizibile.

Știința senzațională

Acum, când avioanele și sateliții ne pot duce deasupra norilor ca să verificăm, nu putem vedea niciun zeu locuind acolo. Știința ne spune că există patru tipuri principale de nori, în funcție de cât de sus se află pe cer și de temperatură.

Când apa, un lichid, se înfierbântă, se evaporă și se transformă într-un gaz invizibil numit vapori de apă. Vaporii de apă sunt peste tot în jurul nostru în aer. Aerul cald plin de vapori de apă plutește și se ridică sus, sus, sus pe cer. Acolo, aerul este rece, iar vaporii de apă se răcesc și se adună în picături de apă, care laolaltă alcătuiesc norii. Atunci când picăturile de apă dintr-un nor sunt suficient de mari și de grele, acestea cad înapoi pe Pământ sub formă de ploaie. Acest proces este parte din ceea ce se numește circuitul apei în natură.

Care este diferența dintre ploaie, grindină și ninsoare?

Zeii antici ai meteorologiei aveau funcții foarte precise! Miturile ne spun că ploaia, grindina și ninsoarea sunt provocate de zei și zeițe foarte diferiți, care locuiesc în nori.

Zeii albanezi Shurdh și Verbt aduc grindina.

Dodola este zeița slavă a ploii. Ori de câte ori își mulge vacile cerești (pe care noi le numim nori), laptele lor cade pe pământ sub formă de ploaie.

Zăpada este adusă de Cailleach Bheur în miturile scoțiene. În tradiția japoneză, aceasta este creată de către zeul Kuraokami, iar populațiile incașe credeau că este trimisă de zeul Khuno.

Știința senzațională

Știința ne spune acum că ploaia, grindina și ninsoarea încep toate în același fel... în norii alcătuiți din picături de apă. Dacă acestea cad sub formă de ploaie, grindină sau ninsoare depinde de temperatura din nor. Zăpada apare atunci când este foarte, foarte frig sus, în nori, și cristale mici de gheață se unesc pentru a forma fulgi de zăpadă. Grindina apare atunci când aerul care se ridică în interiorul norilor împinge picăturile de ploaie în sus în aerul rece și acestea îngheață înainte de a cădea pe pământ.

Ce face vântul să bată?

Dacă ți-aș spune că Aeolus, zeul grec al vântului, ținea vânturile de nord, sud, est, vest într-o pungă și apoi le dădea drumul în lume, m-ai crede?

Știința senzațională

OK, secretul a fost dat în vileag. Explicația științifică pentru vânt este, de fapt, diferența de presiune a aerului. Acum trebuie să-ți imaginezi lucrurile la scară mare. Gândește-te la întreaga planetă Pământ.

Atunci când vremea este însorită, lumina soarelui încălzește pământul (sau marea), iar aerul aflat chiar deasupra lor se încălzește și el. Se dilată, iar aceasta îl face mai puțin dens (mai ușor). Așa că se ridică. Pătura de aer mai rece și mai densă din imediata apropiere se deplasează ca să ia locul aerului cald, iar acest aer în mișcare este vântul.

Ce sunt tunetul și fulgerul?

Tunetele și fulgerele sunt oare fenomene atât de înspăimântătoare? Sau intervine și aici știința senzațională? Furtunile sunt atât de impresionante, încât numeroase popoare din Antichitate din întreaga lume credeau că sunt produse de zeii tunetului care aruncau cu arme când erau furioși. (Ei bine, niște zei somnoroși n-ar fi putut face atâta gălăgie, nu-i așa?)

Marele zeu scandinav Thor avea un ciocan uriaș numit Mjolnir, pe care îl arunca să trimită fulgere și să distrugă tot ce l-ar fi înfuriat.

Zeus era zeul cerului, al tunetelor și al fulgerelor în Grecia Antică. El arunca fulgere ca să-și rănească dușmanii. Sau, de fapt, pe oricine îl enerva. Ai grijă!

Zeul Yoruba Shango mânuiește un topor puternic. Cu acesta, el aruncă fulgere pe Pământ asupra celor care îl înfurie.

Păsările atotputernice ale furtunii din culturile amerindiene nu aveau nevoie de arme. Aripile lor în mișcare produceau tunete, iar ochii lor scăpărători aruncau fulgere.

Pe bună dreptate, miturile înfățișau fulgerul și tunetul ca provenind din aceeași sursă. Dar nu este vorba de un zeu furios care stă pe un nor, ci de știința electricității statice și a particulelor încărcate cu electricitate din nor.

Iar Varja era fulgerul mortal mânuit de zeul hindus al tunetului, Indra.

Știința senzațională

Într-un nor cumulonimbus (aceștia sunt norii foarte mari), când aerul cald se ridică face să se amestece particulele încărcate de apă și gheață din nor. Acestea se mișcă și se freacă unele de altele, generând electricitate statică. În cele din urmă, sarcina electrică se acumulează până când partea de sus a norului este încărcată pozitiv (+), iar partea de jos este încărcată negativ (-).

Sarcina negativă devine atât de mare încât este atrasă spre un punct înalt de pe Pământ. Atracția este suficient de puternică încât electricitatea să fie brusc direcționată spre acel punct.

ZAP! A FULGERAT!

Fulgerul este atât de fierbinte încât produce o lumină puternică și forțează particulele de aer din cale să sară deoparte. Această mișcare extremă și bruscă provoacă o izbucnire de unde sonore:

BUM! E zgomotul tunetului.

Interpretăm mereu corect starea vremii?

Astăzi, starea vremii îți este oferită de știința meteorologiei. Acesta este un cuvânt lung și înseamnă „studiul lucrurilor din aer". Meteorologii au tot felul de instrumente cu care pot să-și dea seama ce se întâmplă sus, în cer, așa că pot prezice când va ploua, va ninge, va fi lapoviță sau vreme frumoasă și însorită.

În trecutul îndepărtat, oamenii încercau să prezică vremea – acesta a fost unul dintre cele mai vechi și mai durabile experimente științifice ale tuturor timpurilor! De exemplu, prin observarea atentă a norilor, știau că un nor cumulonimbus mare însemna că se apropie furtuna. Norii cirus adunați la un loc la mare înălțime însemnau, de obicei, că urma vreme bună.

În Babilonul antic, autoritățile au ținut însemnări zilnice despre vreme timp de 800 de ani. Prin aceste înregistrări atente, au putut să prevadă multe evenimente meteorologice pe baza unor modele pe care le mai văzuseră de multe ori.

Scriitorii din Grecia Antică făceau, la rândul lor, o mulțime de observații despre vreme. Hesiod spunea că, atunci când melcii se urcau pe pereții caselor, era vremea recoltei. Potrivit lui Teofrast, gâștele care făceau mai multă gălăgie decât de obicei prevesteau furtuna. Iar Plutarh susținea despre crocodili că puteau prevesti revărsarea Nilului după locul în care își depuneau ouăle.

Meteorologii din zilele noastre fac și ei adnotări și observații atente, așa cum făceau anticii. Dar oamenii de știință au astăzi instrumente mult mai exacte pentru a face măsurători, cum ar fi sateliții, baloanele meteorologice și computerele de mare putere. Asta înseamnă că predicțiile meteo sunt mai precise (nimeni nu pare să se mai consulte cu melcii în zilele noastre – ce păcat!)

Dar nu au ÎNTOTDEAUNA dreptate! Vremea încă ne ia uneori prin surprindere! Încă există atâtea lucruri pe care trebuie să le aflăm despre planeta noastră. Mai sunt multe povești de spus. Acele mituri și legende inspiră credințe frumoase despre Pământ. Și le putem repovesti iar și iar, în timp ce continuăm să cercetăm știința senzațională din spatele celor mai minunate povești ale lumii.

Glosar

asteroid
Corp de dimensiuni mari, din rocă sau metal, care se află în spațiu și orbitează în jurul Soarelui.

astronaut
Persoană care călătorește în spațiu.

atmosferă
Un strat de gaz sau gaze care înconjoară o planetă.

circuitul apei în natură
Mișcarea apei în jurul Pământului și în cer. Vaporii de apă plutesc în sus, în cer, se adună în nori, cad înapoi sub formă de ploaie, se scurg pe pământ și în mare și apoi se evaporă și se ridică înapoi spre cer.

eclipsă
Eclipsa are loc când un corp ceresc intră în umbra altui corp ceresc. De exemplu, o eclipsă solară are loc atunci când umbra Lunii traversează suprafața Terrei, uneori blocându-ne complet vederea asupra Soarelui.

electricitate
Mișcarea unor particule minuscule numite electroni. Acest flux de energie poate oferi energie electrică mașinilor. Electricitatea statică este o acumulare de încărcare electrică pe o suprafață. „Static" înseamnă „care stă pe loc" – particulele nu plutesc.

eternitate
Pentru totdeauna – timp fără început și sfârșit (uau!).

experiment
Un test planificat pentru a afla cum funcționează o idee în lumea reală.

gaz
Una dintre stările de agregare ale materiei. Materia este alcătuită din particule minuscule. În funcție de cât de apropiate sunt unele de altele se schimbă modul în care arată și se comportă.

gravitație
O forță care trage obiectele spre Pământ.

Lună
Sferă din rocă sau gheață care orbitează în jurul unui alt obiect mai mare din spațiu. Terra are o Lună, ca și alte planete din sistemul nostru solar.

Lumea de dincolo
O lume imaginară de sub pământ în care pot locui duhurile, zeii sau spiritele celor morți.

meteorit
Bucată de rocă (mult mai mică decât un asteroid) din spațiu, orbitând în jurul Soarelui. Meteorii sunt meteoriți care intră în atmosfera Terrei și iau foc – cunoscuți și sub numele de stele căzătoare!

meteorologie
Studiul științific al vremii.

microscop
Instrument științific care face lucrurile mici să arate mai mari.

mit
Poveste tradițională care explică evenimente naturale altfel misterioase sau credințe religioase.

nor
Aglomerare de picături foarte mici de apă sau cristale de gheață care plutesc pe cer.

orbită
Calea pe care o urmează un obiect în jurul altui obiect din spațiu. Pământul orbitează în jurul Soarelui mișcându-se pe un drum circular în jurul lui o dată la aproximativ 365 de zile (= un an!).

orizont
Dacă te uiți în depărtare, orizontul este linia pe care o poți vedea între pământ (sau mare) și cer.

particulă
Unul din fragmentele infim de mici de materie care alcătuiesc totul în universul nostru.

planetă
Un corp ceresc de mari dimensiuni care orbitează în spațiu în jurul unei stele.

sistem solar
Soarele și tot ceea ce orbitează în jurul lui în spațiu. Include Terra, celelalte planete, lunile lor și milioane de asteroizi și meteoriți.

sferă
O formă ca de minge perfect rotundă.

stea
O minge imensă, strălucitoare de gaz în univers. Steaua cea mai apropiată de noi este Soarele.

telescop
Instrument științific care face să pară apropiate lucrurile foarte îndepărtate.

temperatură
Măsurătoarea a cât de fierbinte sau de rece este un lucru.

univers
TOT CEEA CE EXISTĂ! Tot ceea ce se află în sistemul nostru solar și dincolo de el.

vapori de apă
Apa atunci când este în formă de gaz. Atunci când apa se încălzește, particulele ei se împrăștie și se ridică pentru a forma vaporii.

zeu și zeiță
Spirit puternic, mai puternic decât oamenii, care, potrivit multor mituri, controlează ceea ce se întâmplă pe lume. Diferite religii și culturi au diferiți zei și zeițe.

Culturi și popoare

Această carte menționează diferite popoare și credințele lor extraordinare. Toate ne-au influențat modul de gândire până în zilele noastre. Unele există încă, altele au trăit cu mii de ani în urmă. Iată de unde provin acestea:

Africa
Egiptenii antici
Malawi
Xhosa
Yoruba
Zulușii

Cele două Americi
Aztecii
Mayașii
Amerindienii, incluzând Cherokee și Menominee
Incașii

Asia
Babilonienii antici
Chinezii antici
Indienii antici (hindușii)
Japonezii antici
Vietnamezii antici

Australasia
Maori
Polinezienii
Yolngu

Europa
Albanezii
Grecii antici
Irlandezii
Creștinii (medievali)
Scandinavii
Scoțienii
Slavii